collection améthyste

l'étoile dans la pomme

texte de Marie-France Comeau
illustrations de Gilles Cormier

C’est un matin d’automne que j’ai tout compris.

C’est en croquant dans une pomme que j’ai entendu cette histoire.

L’histoire de l’étoile que contient chaque pomme, petite, moyenne ou grosse, rouge, verte ou jaune.

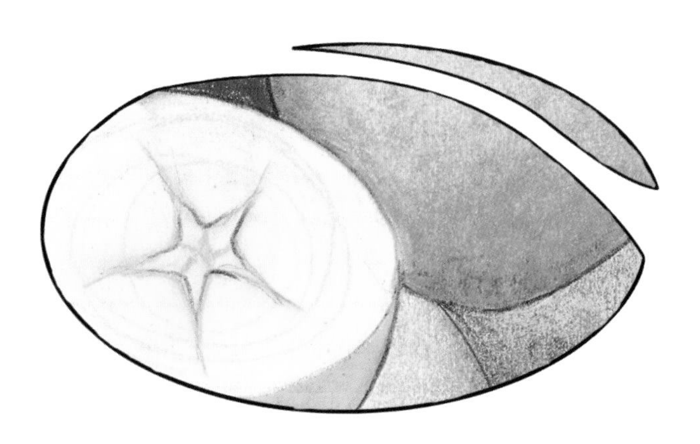

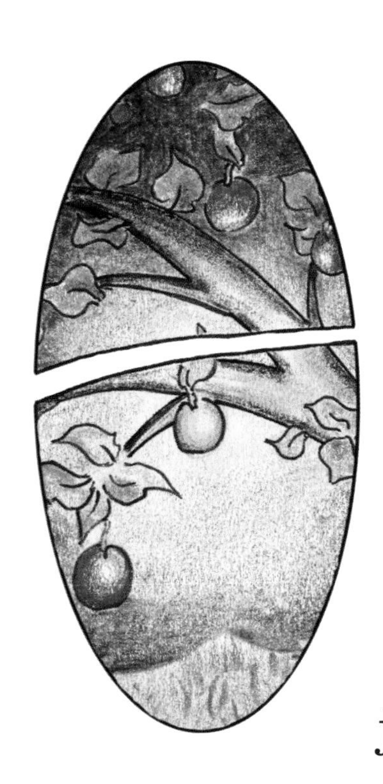

Il y avait un pommier aux pommes toutes aussi rouges les unes que les autres. Parmi ses centaines de pommes toutes rouges, il y avait un point jaune au milieu des feuilles vertes. C'était une pomme jaune.

Souvent, ses voisines de la même branche lui demandaient :

– Tu te sens bien, pomme jaune ? Tu es toute pâle et jaune comme la lune… Tu n’es pas malade au moins ?

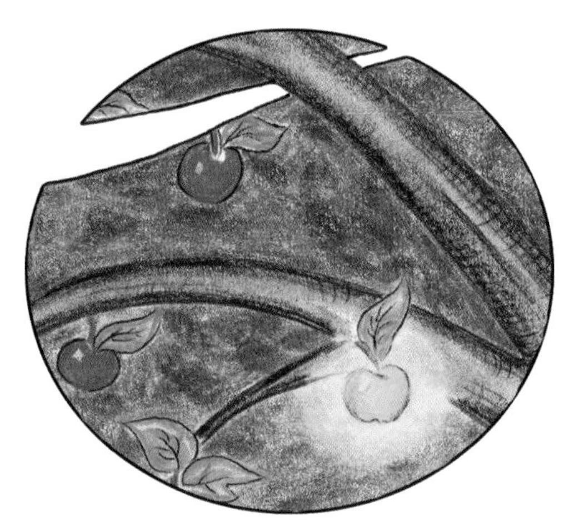

Et la pomme jaune de répondre :

– Non, non, je me sens très bien. Je rayonne de l’intérieur.

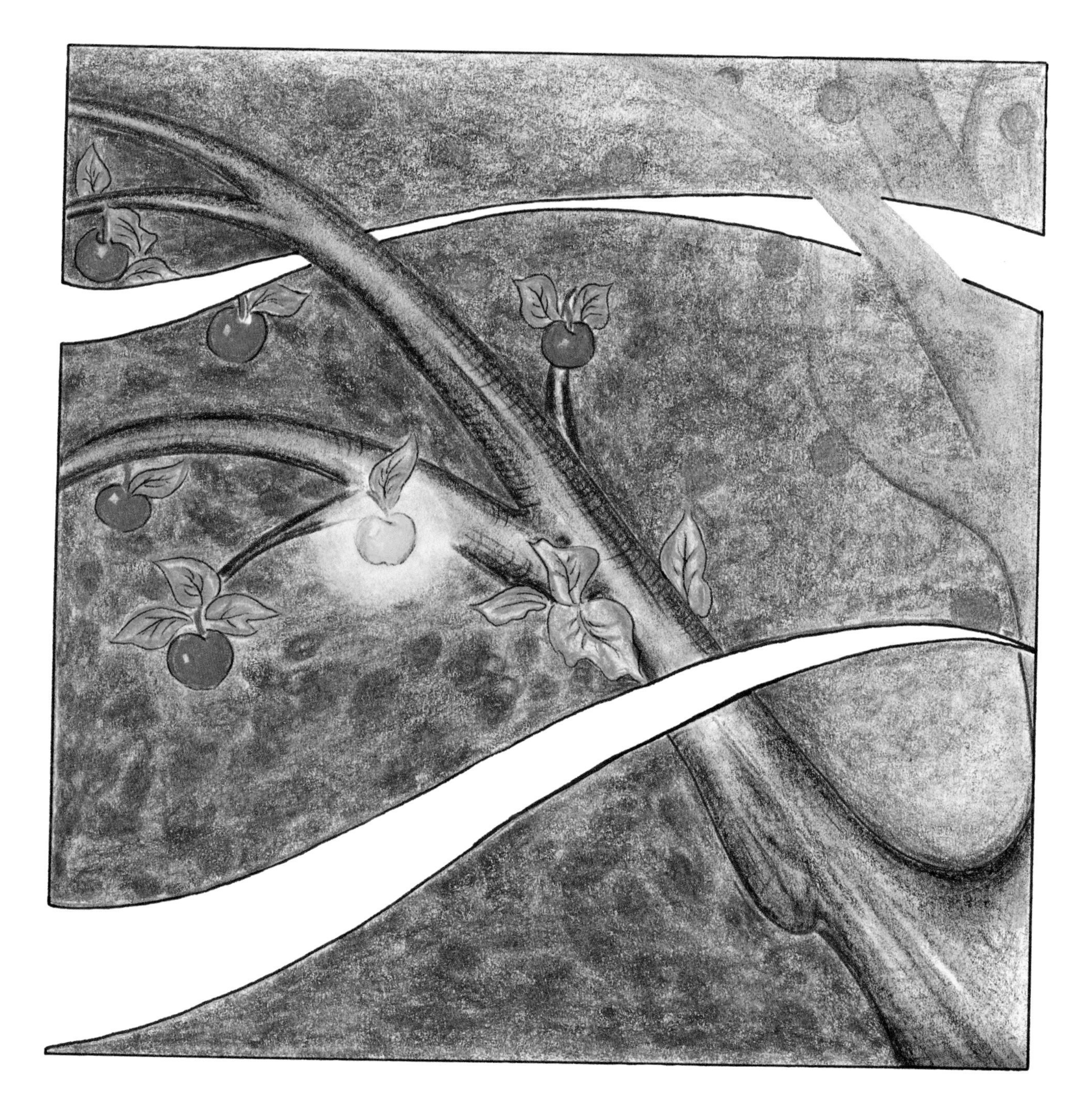

La pomme jaune était amoureuse d'un rayon de lune, un rayon de lune qui tous les soirs de pleine lune, demi-lune ou croissant de lune se posait sur elle et la berçait.

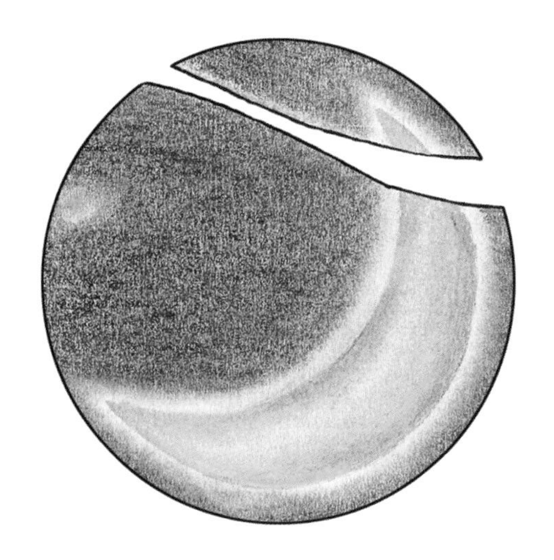

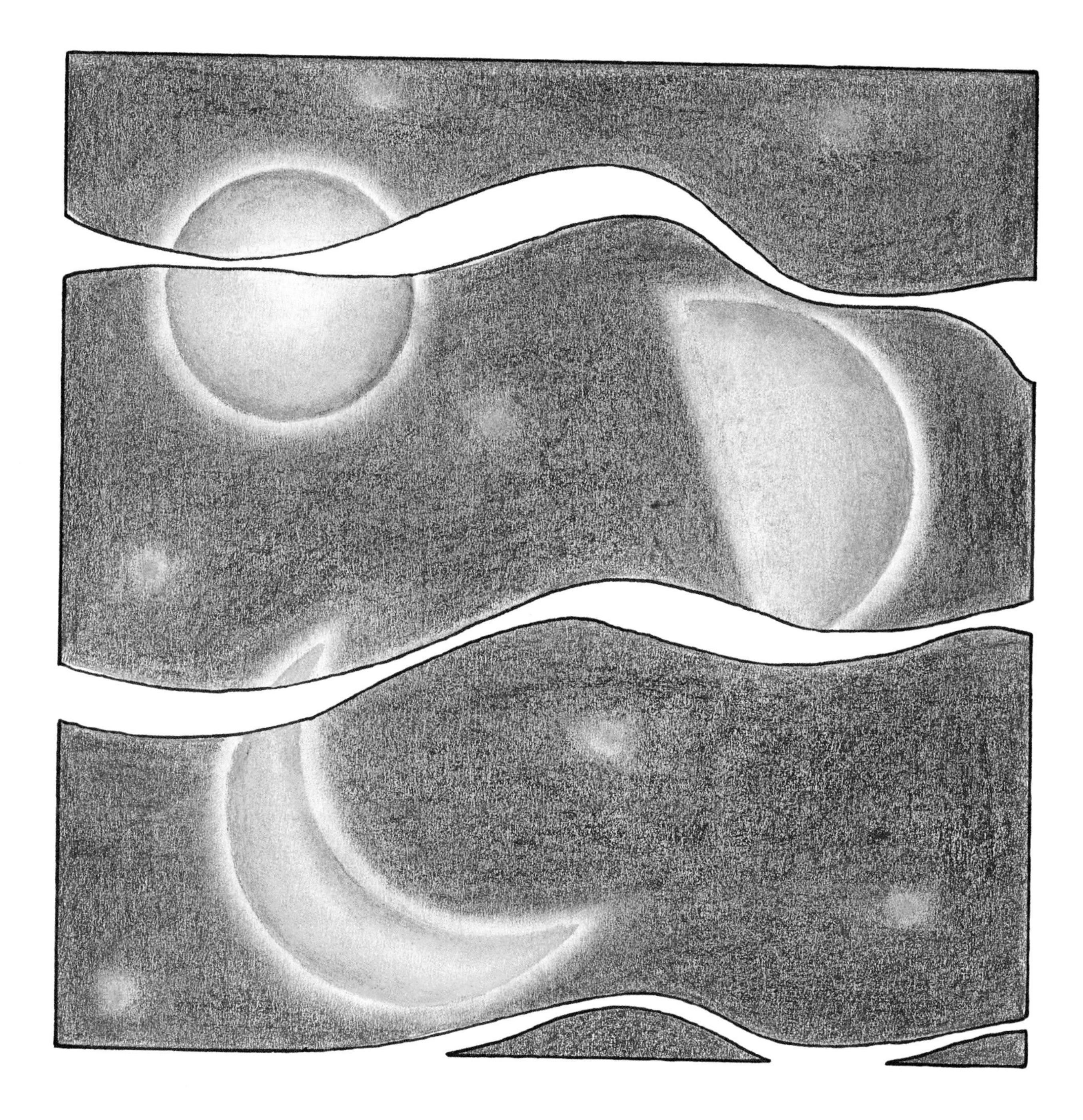

Le rayon de lune se posait sur elle, la pomme jaune, et la berçait de cette berceuse :

Une étoile au coeur

Une étoile au coeur

De la pomme

Pomme, pomme, pomme

Coupe, coupe la pomme

Coupe, coupe la pomme

Une étoile dans la pomme

Une ☆ au coeur
Une ☆ au coeur
de la pomme, pomme, pomme, pomme.
Tu dois découvrir, tu dois découvrir,
cette ☆ dans
la pomme.

Une nuit de pleine lune, notre pomme jaune avait un pépin sur son coeur de pomme. Alors, le rayon de lune se fit plus brillant, plus scintillant, et il berça de sa berceuse notre pomme jaune.

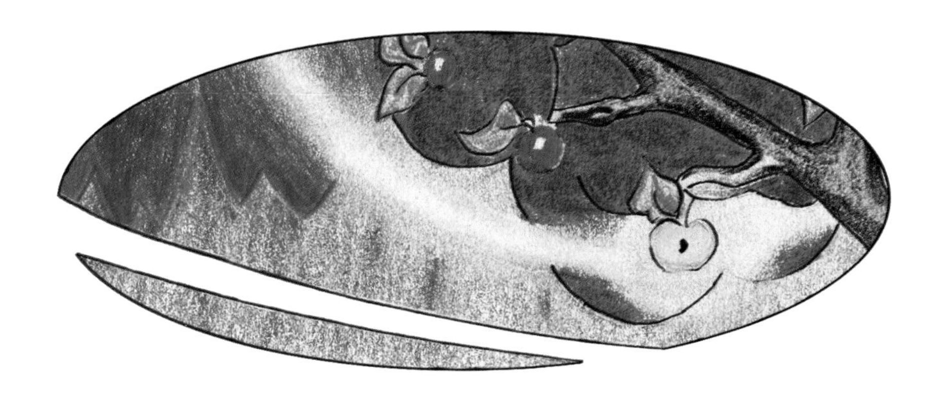

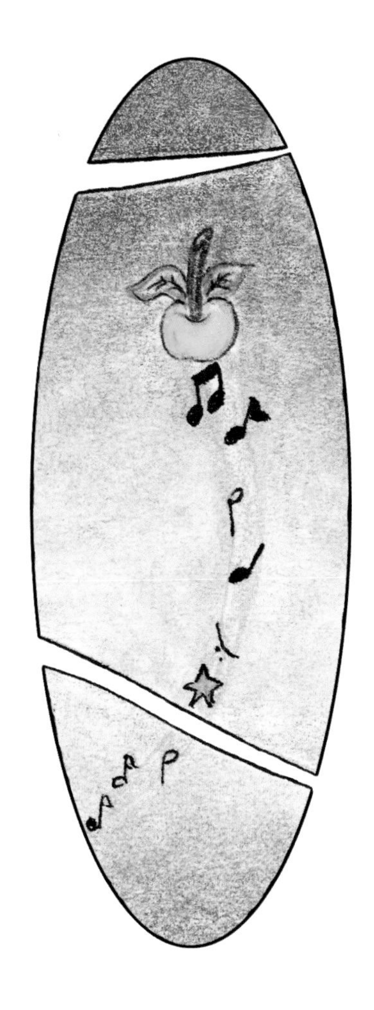

La pomme jaune du bout de sa queue se berça tant et si longtemps qu'elle se détacha. Toujours bercée par son chant, elle monta jusqu'à la lune.

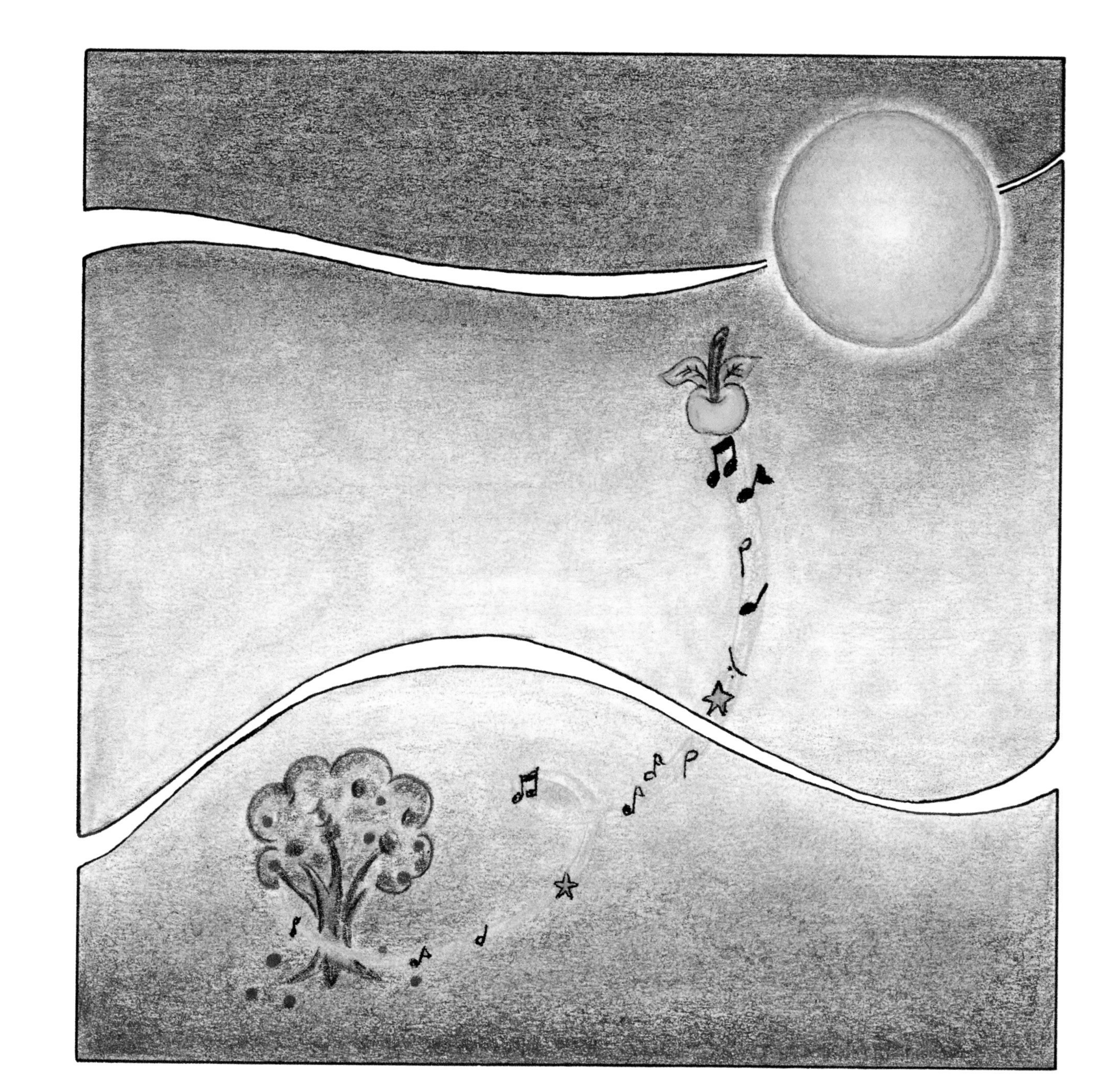

Le petit coeur de notre pomme jaune contenait tellement de bonheur qu'il éclata.

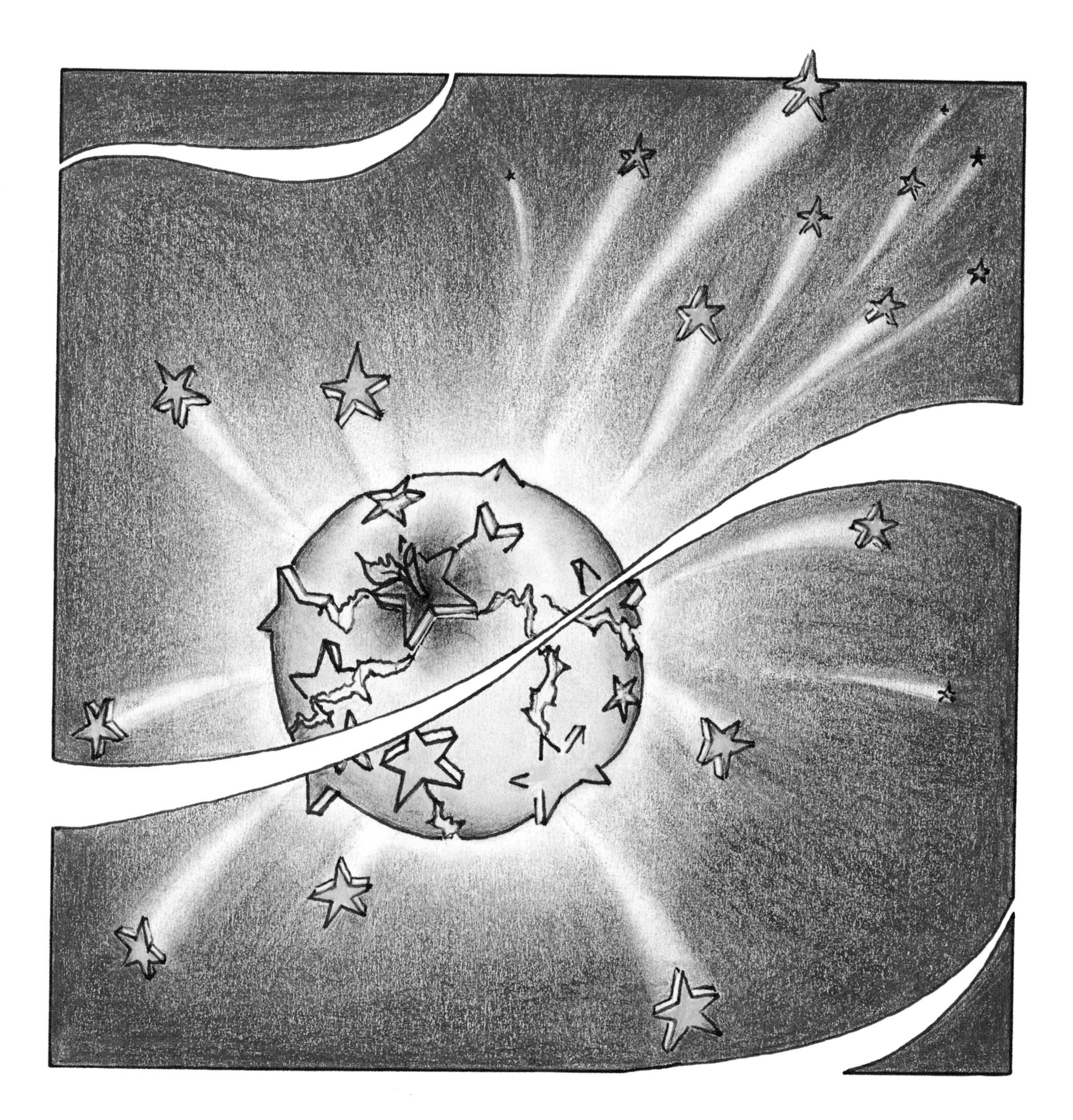

Et c'est ainsi que des milliers d'étoiles sortant de son coeur étoilé retombèrent sur toutes les pommes du monde entier.

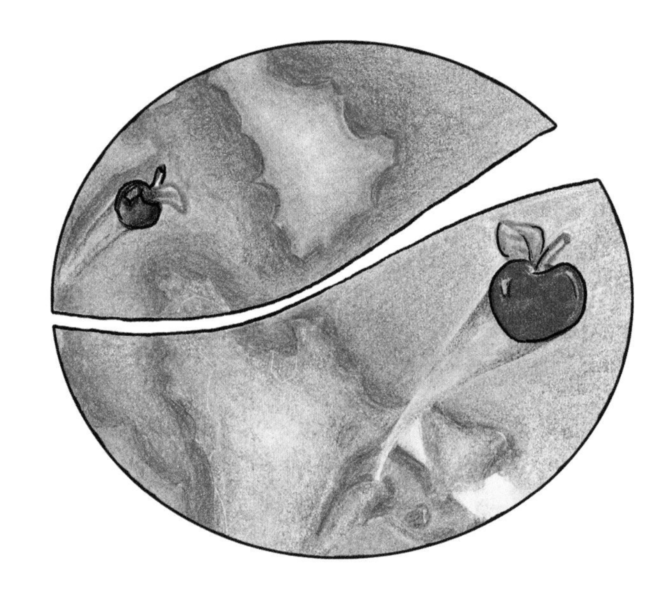

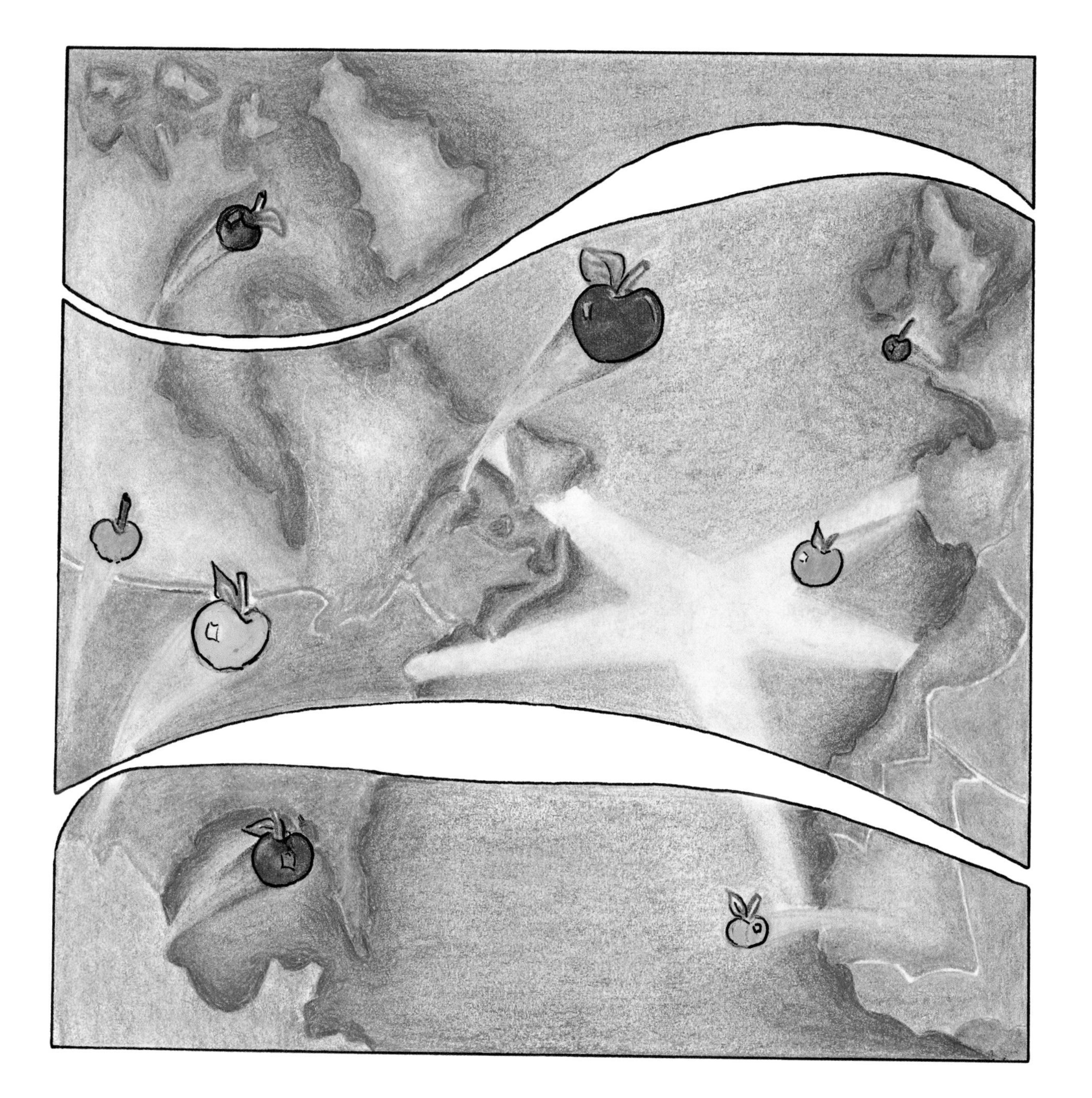

Depuis ce temps, à l'intérieur de chaque pomme, qu'elle soit rouge, jaune ou verte, grosse, moyenne ou toute petite, il y a une étoile pour te bercer de sa berceuse.

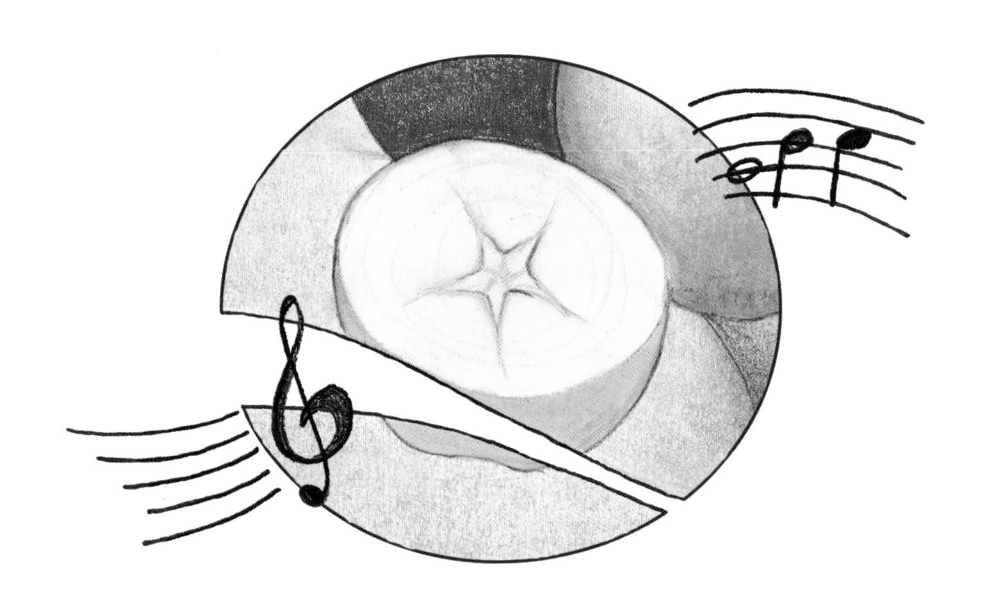

À propos de Bouton d'or Acadie…
Depuis longtemps en Acadie, à la saison florissante, la nature est parsemée de marguerites jaunes qu'on surnomme boutons d'or. En hommage à cette vision fleurie, la fondatrice de Bouton d'or Acadie enr., Marguerite Maillet, a voulu représenter l'entreprise par le symbole floral que rappelle son prénom. Exprimant à la fois le respect d'un imaginaire ancestral et de l'éclosion de la jeunesse, Bouton d'or Acadie enr. participe au développement de la littérature jeunesse en Acadie et partout dans le monde. (Judith Hamel)

Texte : Marie-France Comeau
Illustrations : Gilles Cormier
Conception graphique : Lisa Lévesque

Collection améthyste : ISSN 1206-2898
L'étoile dans la pomme : ISBN 2-922203-79-4
Dépôt légal : 1er trimestre 2005
Bibliothèque nationale du Canada
Bibliothèque nationale du Québec

Imprimeur : Transcontinental Impression
Distributeur : Prologue

204C - 236, rue Saint-Georges
Moncton (N.-B.), E1C 1W1, Canada

Téléphone : (506) 382-1367
Télécopieur : (506) 854-7577
Courriel : boutondoracadie@nb.aibn.com
Internet : www.boutondoracadie.com et http://boutondor.info.ca

Pour ses activités d'édition, Bouton d'or Acadie reconnaît l'aide financière de la Direction des arts du Nouveau-Brunswick, du Conseil des Arts du Canada, du ministère du Patrimoine canadien par l'entremise du Programme d'aide au développement de l'industrie de l'édition (PADIÉ) et du Partenariat interministériel avec les communautés de langues officielles (PICLO).

Imprimé au Canada